Chers membres,

C'est avec grand plaisir que je vous offre en cadeau cet amusant ouvrage de jeux *Animez vos soirées !* Que ce soit pour une soirée en famille, entre amis ou pour une fête d'enfants, vous y trouverez des jeux qui feront l'amusement de vos convives : des jeux d'adresse, de mots, d'observation, de dés, des jeux qui creusent les méninges et d'autres qui vous feront rire aux larmes ! En tout, nous vous présentons 40 jeux qui conviennent aux participants de tous âges.

Pour des retrouvailles familiales ou amicales réussies, divertissez vos invités avec *Animez vos soirées !* Je suis persuadé qu'ils apprécieront !

Bon divertissement !

Régis Éthéart,
Président de Québec Loisirs

Animez vos soirées !

Plus de 40 jeux pour divertir vos invités

www.quebecloisirs.com

UNE ÉDITION DU CLUB QUÉBEC LOISIRS INC.

Dépôt légal — Bibliothèque nationale du Québec, 2005
ISBN 2-89430-696-2
(publié précédemment sous ISBN 2-7640-0922-4)
Imprimé au Canada

Plus de 40 jeux pour divertir vos invités

Christiane CHAILLÉ

Animez vos soirées !

SOMMAIRE

LES JEUX DE SOCIÉTÉ : REFLETS... D'UNE SOCIÉTÉ !

Vous vous apprêtez à recevoir les membres de votre famille ? vos amis ? un amalgame des deux ? En hôte consciencieux, vous ne voulez ménager aucun effort pour que cette réception soit réussie en tout point. Peu importe que votre accueil soit teinté de faste ou qu'il se fasse sous l'enseigne d'une détente sans prétention, vous jouerez gagnant si vous prévoyez d'y inclure des jeux de société.

Depuis des temps immémoriaux, les jeux de société sont en effet un reflet social des habitudes de vie de l'humain. Car, depuis toujours, le jeu est « *une activité physique ou intellectuelle non imposée et gratuite, à laquelle on s'adonne pour se divertir, en tirer plaisir* » selon la définition même du *Petit Larousse*.

Issu du mot latin *jocus*, qui signifiait « jeu en parole, plaisanterie », *giu*, devenu *geu* et, finalement, *jeu*, a connu une variété de significations depuis l'époque romaine. Dès les premiers textes, qui remontent à 1080, il désigne désormais un amusement libre et une activité ludique organisée par un système de règles définissant succès et échec.

Ainsi, sous toutes leurs formes, les jeux de société sont devenus au fil des siècles une partie importante du patrimoine culturel de l'espèce humaine. L'année de création de certains jeux se calcule en effet en millénaires ! C'est dire à quel point l'aspect ludique a toujours occupé une place prépondérante dans le quotidien des individus de toutes origines.

D'ailleurs, certains jeux sont si ancrés dans les moeurs de plusieurs peuples qu'ils sont automatiquement associés à certaines régions du monde. Nous n'avons qu'à penser à l'appartenance franchement française de la pétanque, à celle incontestablement américaine du poker, ou encore à celle assurément chinoise du Mah Jong...

Aujourd'hui, les jeux de société connaissent un engouement certain. De fait, pour que vos visiteurs se souviennent avec plaisir de cette escapade à votre domicile, il vous faut miser sur une animation où tous peuvent prendre part avec joie. Les jeux de société sont incontestablement la clé de cette réussite.

Pour ce faire, ce livre regroupe un éventail de jeux aptes à convenir à tous les goûts : des jeux d'adresse, de mots, d'observation, destinés aux enfants et encore plus! N'exigeant que quelques accessoires, en vente à coûts abordables, ils deviendront vite des éléments indispensables à toute rencontre organisée sous la férule du plaisir.

Sans plus tarder, amusez-vous!

LES JEUX D'ADRESSE

Avec les jeux d'habileté ou d'adresse, il ne s'agit pas d'être doué d'une intelligence supérieure pour être déclaré gagnant. À l'aide d'un peu de jugeote et d'une certaine dextérité, il est possible de mener une chaude lutte à ses adversaires. Ces caractéristiques, la plupart d'entre nous les possèdent. Il est alors aisé de prévoir des parties endiablées où chacun tentera de mettre de l'avant son savoir-faire!

L'ÂNE

CATÉGORIE :
6 ans et plus.

NOMBRE DE JOUEURS :
Minimum : 2. Maximum : illimité.
Un maître de jeu.

MATÉRIEL :
Vous pouvez fabriquer ce jeu vous-même. Pour ce faire, il vous faudra dessiner une silhouette d'âne de profil, mais sans la queue et préférablement à grande échelle. Dessinez ensuite la queue sur un carton rigide et découpez-en le contour. Avec de la gommette, collez votre âne sur votre frigo. Procurez-vous un aimant (un de ces aimants décoratifs dont on se sert pour maintenir un pense-bête sur le frigo fera très bien l'affaire) et collez-y la queue de l'âne. Un foulard pour cacher les yeux.

JEU :
Le maître de jeu désigne un joueur qui commencera la partie. Ce dernier se fait bander les yeux, tourne quatre fois sur

lui-même à un point situé à quelques mètres du réfrigérateur. Il doit tenter de mettre la queue de l'âne où il se doit. Pas facile lorsqu'on n'y voit goutte!

Quelques trucs et variantes :

Si vous disposez de cartons de différentes couleurs, découpez plusieurs queues pour que chaque joueur en ait une qui lui soit personnelle. Il sera alors plus facile de comparer les tentatives de tous. Si vous jouez entre collègues de travail, pourquoi ne pas remplacer l'âne par une photocopie grand format... d'une photographie de votre patron ?

UNE BONNE RAQUETTE

Catégorie :

Pour tous.

Nombre de joueurs :

Minimum : 4. Maximum : illimité. En nombre pair.

Un maître de jeu.

Matériel :

Une raquette de tennis par équipe. Une balle par équipe.

Quatre balises.

Endroit :

Préférablement à l'extérieur. À l'intérieur dans une grande pièce dégagée.

Jeu :

Le maître de jeu place deux balises à une extrémité du terrain. Après quoi, il fait environ 25 pas en se dirigeant vers l'autre extrémité et y dépose les deux autres balises.

Des équipes de nombre égal sont ensuite formées par le maître de jeu. Chaque groupe se place à la queue leu leu à l'une des extrémités du terrain. Le maître de jeu remet une raquette de tennis et une balle à chaque meneur de file.

Au signal, le premier joueur doit marcher ou courir avec la balle en équilibre sur la raquette pour atteindre l'autre balise dans le délai le plus bref. Une fois l'objectif atteint, il fait le chemin en sens inverse et remet la raquette et la balle au deuxième coéquipier.

Si, durant le trajet à parcourir, un participant échappe la balle, il doit cesser immédiatement son parcours. Il retourne au point d'origine, remet l'équipement à un autre joueur de son équipe et se place à la fin de la queue. La première équipe dont tous les équipiers ont réussi l'épreuve gagne la partie.

VARIANTE :
Pour que la difficulté soit maximisée, les joueurs devront de plus faire sautiller la balle sur la raquette pendant leur course.

CROQUE LA POMME !

CATÉGORIE :
6 ans et plus.

NOMBRE DE JOUEURS :
Minimum : 2. Maximum : illimité.

MATÉRIEL :
Un grand bassin. De l'eau. Des pommes.

JEU :
Qui n'a pas joué un jour ou l'autre dans sa vie à ce jeu qui

traverse les siècles sans rider ? Vous ? Il est grand temps de mettre fin à cette inexpérience.

Remplissez d'eau un grand bassin, préférablement de forme circulaire, qui sera déposé à même le sol. Ensuite, faites-y flotter d'appétissantes pommes.

À tour de rôle, les participants doivent, les mains derrière le dos, tenter de croquer une pomme. Plusieurs devront s'ébrouer pendant de longues minutes avant d'y parvenir. À cet effet, n'oubliez pas de prévoir des serviettes pour que vos invités puissent s'assécher...

QUELQUES VARIANTES :

Vous pouvez remplacer les pommes par des citrons ou, mieux encore, par des limes. Le jeu en deviendra encore plus difficile, et les joueurs qui réussiront à mordre un fruit grimaceront à coup sûr !

LA COURSE DES ANIMAUX

CATÉGORIE :

Pour tous.

NOMBRE DE JOUEURS :

Minimum : 4. Maximum : illimité. En nombre pair.

Un maître de jeu.

MATÉRIEL :

Deux balises.

JEU :

Après avoir déposé les balises à un point de départ et à un point d'arrivée, le maître de jeu forme des équipes qui réuniront le même nombre de joueurs. Chaque groupe se place sur la ligne de départ à la file indienne.

Le maître de jeu précise le caractère particulier de cette course. En effet, chaque joueur se métamorphosera pour l'occasion en un animal bien précis. Ainsi, dans chaque équipe, il y aura un kangourou qui devra parcourir le trajet en sautant à grands bonds ; un serpent qui, lui, devra ramper sur le ventre ; un canard qui courra en position accroupie tout en bougeant les coudes ; un gorille qui se déplacera de côté en bougeant les deux pieds suivis des deux mains ; un lapin qui devra sautiller en gardant les mains par terre ; un crabe qui, tout en se mouvant de côté, aura pieds et mains au sol ; une gazelle qui bougera en faisant d'immenses sauts ; un tigre qui avancera sur les genoux et les mains ; une grenouille qui, en position accroupie, sautera haut et loin. Si les équipes comptent plus de 8 joueurs, le maître de jeu devra inventer d'autres animaux possédant chacun leurs propres règles de déplacement.

Après avoir reçu les consignes du maître de jeu expliquant quel animal chacun doit personnifier et comment ce dernier doit se déplacer, les meneurs de file des différentes équipes, qui campent tous le même animal, se mettent en place.

Le maître de jeu donne le signal de départ et la course commence ! Ainsi, dans le rang de chaque équipe et dans le même ordre pour chacune d'elles, il y aura un kangourou suivi d'un canard, qui sera suivi par un gorille. Et le gorille par le lapin, etc.

Chaque joueur doit faire le tour de la balise et revenir au point de départ pour que le second participant puisse entamer sa course. La première équipe à avoir terminé un tour complet gagne.

Quelques trucs et variantes :

Le maître de jeu demande de plus aux joueurs d'imiter le cri de l'animal personnifié pendant la course : de quoi couper le souffle dans certains cas ! Plutôt que la partie s'achève après un seul tour, le maître de jeu pourra aussi accorder un point à l'équipe qui l'aura achevée en premier ; une fois ce tour complété par toutes les équipes, le maître de jeu attribuera un nouvel animal à chaque joueur : il y aura ainsi autant de tours que d'animaux avant que le jeu prenne fin.

ENCORE DU RIZ !

CATÉGORIE :

Pour tous.

NOMBRE DE JOUEURS :

Minimum : 2. Maximum : illimité.

MATÉRIEL :

Un grand bol. Du riz non cuit. Des bouchons plastifiés.

JEU :

Il s'agit ici d'un jeu d'une simplicité enfantine, mais combien difficile à réussir pour le concurrent en lice et, surtout, combien rigolo pour ceux qui observent ses efforts !

Il suffit de remplir un grand bol de riz non cuit et d'y cacher un ou des bouchons de plastique. Les mains dans le dos, le participant doit le récupérer avec sa bouche...

QUELQUES VARIANTES :

Pour accroître le défi, il faudra réussir cette épreuve dans un temps donné. Plus le nombre de bouchons est grand, plus le degré de difficulté est élevé.

GRAND GALOP ET PETIT TROT

CATÉGORIE :

Pour tous.

Nombre de joueurs :

Minimum : 8. Maximum : illimité. En nombre pair.
Un maître de jeu.

Matériel :

Un nombre de souliers équivalent au nombre d'équipes moins un soulier.

Jeu :

Le maître de jeu forme des équipes de deux en faisant en sorte que, dans chacune d'elles, on trouve un joueur costaud. Le plus robuste des deux partenaires doit faire le cheval, tandis que l'autre devient le cavalier.

Les chevaux forment un cercle et les cavaliers en forment un autre, mais en se plaçant tout autour de leurs montures. Les souliers sont placés pêle-mêle, en plein coeur de ces deux cercles.

Le maître de jeu commence alors à raconter l'épopée des chevaliers de la Table ronde en inventant les péripéties les plus glorieuses. Au cours de cette narration sûrement fort captivante, il devra lancer à brûle-pourpoint : « Cavaliers, en selle ! » Chaque cavalier doit alors immédiatement monter sur le dos de son cheval et y rester jusqu'à nouvel ordre.

Tout en poursuivant son récit, le maître de jeu devra, cette fois-ci, insérer à son histoire le commandement : « Cavaliers, chargez ! » À cet instant, les cavaliers doivent descendre de leur monture respective et se mettre à galoper, tous dans le même sens, alentour (à l'extérieur) du cercle formé par les chevaux.

Pendant ce temps, les chevaux doivent offrir leur profil aux cavaliers qui courent toujours, en avançant au petit trot dans le sens contraire des cavaliers. Lorsque le maître de jeu s'écriera : « Cavaliers, au trésor ! », tous s'immobilisent. Les cavaliers doivent se faufiler sous le cheval le plus près d'eux et tenter de mettre la main sur une parcelle du trésor, soit un soulier. Après quoi, ils doivent retrouver leur cheval personnel et monter en selle.

L'équipage qui se trouve sans soulier est éliminé de la partie et le maître de jeu, ayant pris soin de retirer une partie du trésor (un soulier ou plus selon le temps dont on dispose), reprend le fil des aventures chevaleresques en lançant de nouveau les mots d'ordre précédemment expliqués.

LE LIFE SAVER

CATÉGORIE :

Pour tous.

NOMBRE DE JOUEURS :

Minimum : 4. Maximum : illimité. En nombre pair.

Un maître de jeu.

MATÉRIEL :

Des rouleaux de bonbons Life Saver, vous savez ces friandises multicolores percées au centre. Des pailles ou des cure-dents très longs.

JEU :

Les participants s'alignent face à face sur deux rangées égales. Le maître de jeu distribue, à un membre de chaque équipe de deux, une paille (ou un long cure-dent) et un bonbon. À l'autre, il ne remet cependant qu'une paille sans bonbon.

Le joueur détenant paille et bonbon doit enfiler le bonbon sur la paille et la placer entre ses deux dents, puis il met ses mains derrière le dos. Son coéquipier place également sa paille dans sa bouche, puis il noue ses mains dans le dos.

Au signal du maître de jeu, chaque participant doit passer le bonbon Life Saver à son coéquipier, sans faire l'usage de ses mains et de paille à paille: une opération plutôt ardue à réaliser, mais combien amusante! La première équipe à réussir cet exploit s'empare du titre de champions.

LE LIMBO

CATÉGORIE :

Pour tous.

NOMBRE DE JOUEURS :

Minimum: 4. Maximum: illimité. Un maître de jeu.

MATÉRIEL :

Un manche à balai. De la musique, préférablement.

JEU :

Ce jeu qui nous vient des îles du Sud exige une très grande flexibilité, puisque les participants doivent passer à tour de rôle sous un manche à balai tenu à chacune des extrémités par deux adjoints du maître de jeu.

Les participants ne peuvent se jeter dans l'aventure tête baissée. Bien au contraire! Ils doivent avoir le dos arqué vers l'arrière lorsqu'ils glissent sous le bâton sans toucher le sol. Le maître de jeu veille à ce que cette position soit respectée fidèlement.

Tous les joueurs tentent leur chance au rythme d'une musique latine, de préférence. Lorsqu'un tour complet est conclu, les adjoints doivent restreindre de quelques centimètres la distance séparant le bâton du sol. Conséquemment, les joueurs devront s'arc-bouter encore plus.

De tour en tour, plus le bâton est descendu, plus la difficulté à passer sous lui est décuplée. Le gagnant est celui qui réussira l'exploit remarquable à passer sous le bâton, alors que ce dernier ne sera situé qu'à quelques centimètres du sol!

LE MILLE-PATTES

CATÉGORIE :

Pour tous.

NOMBRE DE JOUEURS :

Minimum : 6. Maximum : illimité. Un maître de jeu.

ENDROIT :

Idéalement à l'extérieur. À l'intérieur dans une pièce grande et dégagée.

MATÉRIEL :

Aucun.

JEU :

Il faut former des équipes : 2, 3 ou 4, selon le nombre de participants. On calculera un minimum de 3 personnes par équipe.

Le premier joueur de chaque groupe se met à quatre pattes. Le deuxième l'imite tout en agrippant les chevilles du premier avec ses mains. Les autres joueurs prennent cette même position. Le maître de jeu fait connaître quel est le fil d'arrivée qu'il a choisi. Cela peut être un arbre, une poubelle si on joue à l'extérieur ou une chaise, un meuble si c'est à l'intérieur.

Le maître de jeu donne le signal de départ. Le premier joueur de chaque équipe commence à se mouvoir. Ses partenaires, tout en le suivant, doivent garder le rythme. Chacun des « mille-pattes » s'active de la même manière. Le plus rapide gagne pour autant qu'il n'ait pas perdu une de ses « pattes » en cours de route !

Quelques variantes :

Le maître de jeu peut ajouter un règlement en donnant une pénalité au « mille-pattes » dont la chaîne est temporairement brisée lors de la course. Exemple : le premier joueur doit alors aller se placer à la queue ou tous les membres de l'équipe doivent reculer dans un même élan de trois pas.

LE SAC EN PAPIER

Catégorie :

Pour tous.

Nombre de joueurs :

Minimum : 2. Maximum : illimité. Un maître de jeu.

Matériel :

Un sac en papier d'épicerie possédant une certaine rigidité.

Une paire de ciseaux.

Jeu :

Le but de ce jeu est très simple : ramasser avec les dents le sac posé debout sur le plancher ou le sol, les mains dans le dos, sans tomber et sans mettre une main par terre.

Facile à première vue, croirez-vous ? Mais il n'est pas donné à tous d'avoir un bon sens de l'équilibre et une grande flexibilité. Chacun des participants doit donc passer cette première étape. Ceux qui la réussissent peuvent accéder au niveau suivant.

À ce stade, la difficulté augmente, car après chaque tour complet, le meneur du jeu doit découper une bande de 5 cm (2 po) du haut du sac !

Conséquemment, il sera plus difficile de ramasser avec les dents le sac de papier ainsi raccourci. Seuls les joueurs vraiment habiles, flexibles et possédant un sens développé de l'équilibre se trouveront parmi les finalistes qui auront le nez près du sol. Vous verrez !

LES JEUX DE DÉS

Ils sont minuscules. Ils se glissent facilement dans une poche ou un sac à main. On peut les utiliser pour jouer dès qu'une surface plane s'offre à notre regard. Des milliers de jeux ont été inventés spécialement pour eux.

Les Grecs, qui attribuaient l'invention des dés à Palamède du temps de l'historique siège de Troie, en étaient de fervents adeptes. Une histoire raconte même qu'on aurait joué aux dés la tunique du Christ, au pied même de sa croix ! Les dés étaient aussi connus en Égypte, en Orient et en Inde.

Au Moyen Âge, les bien nantis comme le peuple vouaient une véritable passion aux jeux de dés, et ce, partout en Europe.

Les dés ont engendré, avec l'association de l'évolution des chances, le calcul des probabilités. Que d'exploits imputables à de simples petits cubes faits d'os, d'ivoire, de bois ou de matière plastique! Les jeux proposés dans ce chapitre s'adressent à tous les amateurs de stratégie et de hasard.

D'ailleurs, saviez-vous que le mot « hasard » vient de l'arabe *al-zahr*, dont la signification est « dé à jouer » ? Intéressant, non ?

LE 421

NOMBRE DE JOUEURS :

Minimum : 2. Maximum : illimité.

MATÉRIEL :

11 jetons. 3 dés.

JEU :

Le 421 est sans aucun doute l'un des jeux de dés les plus populaires de notre époque. L'objectif est simple : réaliser la plus forte combinaison possible en lançant les 3 dés.

Ces combinaisons sont, par ordre décroissant :

- lle 421 (un 4, un 2, un 1 [as]) et celui qui a réalisé la plus mauvaise combinaison recevra 10 jetons ;
- les paires d'as, avec un dé d'un autre point ; dans ce cas, la plus mauvaise combinaison équivaut à 7 jetons ;
- les brelans (3 dés identiques) ; ici, la pénalité est de 6 jetons ;
- les séquences 6-5-4, 5-4-3-, 4-3-2, 3-2-1 qui équivalent à 2 jetons ;
- les autres possibilités s'échelonnent en ordre décroissant de 6-6-5 à 2-2-1, la dernière se nommant la « nénette » et valant chacune 1 jeton.
- Il existe deux phases distinctes durant une partie : la « charge » pendant laquelle le joueur ayant la plus mauvaise combinaison reçoit les jetons du pot et la « décharge » pendant laquelle le gagnant donne au perdant des jetons de sa propre part. Est déclaré gagnant le joueur qui n'a plus de jetons en sa possession.

LE 7

NOMBRE DE JOUEURS :

Minimum : 2. Maximum : illimité.

MATÉRIEL :

Du papier. Des crayons. 2 dés.

JEU :

À tour de rôle, chaque joueur lance les 2 dés. Le voisin de droite doit toujours annoncer la somme des points obtenus. Chaque joueur peut lancer les dés autant de fois qu'il le désire et recueillir le total des points que le hasard lui concède. Mais si un lancer des 2 dés donne un total de 7, tous les points du tour sont perdus! Il faut donc savoir s'arrêter à temps.

Tant qu'un joueur décide de relancer les dés, il doit annoncer son intention en disant: « Je tiens. » Dès qu'il se contente du total réalisé, il l'annonce en déclarant: « Je passe » et il remet les dés à son voisin de gauche. Par exemple, le premier joueur, après avoir lancé les deux dés une première fois, obtient un total de 11 points. Il décide de poursuivre sa lancée en déclarant: « Je tiens. » Il joue de nouveau et le résultat des deux dés est de 8 cette fois-ci. Prudent, il décide de terminer son tour en disant: « Je passe. » Le total de ses points sera donc de 11 + 8 = 19.

Les points du tour sont définitivement acquis et viennent s'ajouter au total des tours précédents. Si, par contre, ce même joueur avait obtenu un total de 7 au deuxième tour, il perdrait les 11 points accumulés précédemment. Dès qu'un « 7 » apparaît au cours d'un tour, les dés doivent changer de main. De plus, lorsque les 2 dés lancés ont la même valeur, les points du coup qui suivra seront doublés. Par exemple, un joueur obtient un double de 6. Il rejoue et le résultat suivant se chiffre à 8. Le total de ses points pour ce second tour est donc de 16 (8 x 2 = 16.) Le premier joueur qui a atteint 200 points est déclaré vainqueur.

LE CRAPS

NOMBRE DE JOUEURS :

Minimum : 2. Maximum : illimité.

MATÉRIEL :

Un tableau. Une craie. 2 dés. Des mises.

JEU :

Le premier joueur à lancer les dés est nommé « lanceur ». Avant de faire son premier tir, il doit miser sur le coup qu'il croit gagnant et invite les autres participants à parier.

Dès que les jeux sont faits, le lanceur joue son coup de dés. Si le lanceur obtient un total de 2, de 3 ou de 12, il perd automatiquement. D'autre part, si le résultat des 2 dés se chiffre à 7 ou à 11, il gagne systématiquement. S'il obtient les autres résultats potentiels, soit 4, 5, 6, 8, 9 ou 10, il doit jouer jusqu'à ce qu'il obtienne de nouveau un de ces résultats ou jusqu'à ce qu'il sorte un 7. Dans le dernier cas, il perd, tandis qu'avec les autres éventualités, il gagne.

Le lanceur gagnant joue une deuxième fois et garde la main tant qu'il ne perd pas.

LES DÉS MENTEURS

NOMBRE DE JOUEURS :

Minimum : 3. Maximum : illimité.

MATÉRIEL :

Un gobelet. 10 jetons par joueur. 5 dés de poker.

JEU :

Les figures à réaliser au cours de ce jeu sont les mêmes que celles du poker d'as, soit paire, double paire, séquence, brelan, full, carré et poker.

Après avoir brassé les dés à l'aide du gobelet, le premier joueur, choisi au hasard d'un coup de dés, observe discrètement le résultat obtenu en soulevant à peine le contenant.

Ensuite, il annonce une combinaison, vraie ou fausse. Son voisin de gauche peut accepter ou refuser cette annonce. S'il la refuse, il devra préciser s'il croit qu'elle est fausse en claironnant : « Bluff ! » Si cette décision s'avère juste, le premier joueur doit lui donner un jeton et un autre joueur devient le meneur.

Par contre, si le voisin de gauche croit que l'annonce faite est véridique, il l'affirmera tout haut en disant : « C'est bon ! » Le premier joueur lui passera à ce moment les dés, qui seront toujours camouflés sous le gobelet. Ce sera alors au tour du deuxième joueur de faire une annonce, et ainsi de suite. Le joueur sans jetons est éliminé.

LES JEUX DE MOTS

Les mots occupent une place unique dans nos vies, puisqu'ils servent à traduire nos pensées avec subtilités et nuances. Ils nous permettent ainsi de communiquer avec les autres et nous offrent même l'occasion de faire de bons jeux de mots ou, mieux encore, de jouer avec les mots... au sens figuré et au sens propre de l'expression! Je vous suggère des jeux de mots à pratiquer en société, histoire de décupler votre plaisir et celui des autres.

LE BON SENS

CATÉGORIE :

8 ans et plus.

NOMBRE DE JOUEURS :

Minimum : 3. Maximum : illimité.

MATÉRIEL :

Un dictionnaire. Des feuilles de papier identiques pour chaque joueur ainsi qu'un crayon pour chacun d'eux.

JEU :

Un joueur est désigné par les autres pour entamer la partie, peu importe de qui il s'agit puisque, tour à tour, les autres joueurs devront faire le même exercice que lui. Il doit en effet chercher un mot inhabituel dans le dictionnaire et en recopier la définition. Après quoi, il annonce aux autres participants le mot choisi.

Chacun d'eux doit inscrire sur sa feuille ce qu'il croit être la définition juste du mot énoncé. Le participant débutant rassemble toutes les définitions et les lit à voix haute incluant la sienne : la définition réelle du nom. Les autres joueurs votent pour la définition qu'ils pensent être la bonne.

Si une définition erronée est choisie par un des participants, le joueur qui l'a écrite obtient un point. Si un joueur trouve la bonne réponse, il se voit alors attribuer deux points. Lorsque le premier tour est terminé, un nouveau joueur cherche dans le dictionnaire un mot inusité.

VARIANTES :

Pour accroître la difficulté, si tous les participants sont très calés, l'utilisation des noms propres peut être permise ou encore celle d'un dictionnaire d'une langue étrangère incluant la traduction dans la langue usuelle des participants. L'espagnol et l'allemand, par exemple, peuvent être des solutions de rechange de premier plan, pour autant qu'aucun des joueurs ne soit familiarisé avec la langue choisie.

LE CADAVRE EXQUIS

CATÉGORIE :

12 ans et plus.

NOMBRE DE JOUEURS :

Minimum : 5. Maximum : illimité.

MATÉRIEL :

Une tablette de papier et un stylo pour chaque joueur.

JEU :

Ce jeu était très populaire auprès des surréalistes durant les années 30... Voici de quoi il s'agit. Chacun prend une feuille de papier et y inscrit un sujet, peu importe lequel. Exemple : « la plume ». Il doit ensuite plier cette feuille vers l'intérieur de telle sorte que personne ne puisse lire ce qui y est écrit. Il passe ce papier à son voisin de gauche ou de droite. Puis, chaque participant inscrit sur un nouveau bout de papier un qualificatif pour ce sujet. Exemple : « vieillotte ». Il plie cette feuille et la passe de nouveau à son voisin.

Cette opération doit être répétée pour le verbe (exemple : est) ; pour le complément (exemple : sur ma tante) ainsi que pour le qualificatif de ce complément (exemple : indiscrète).

Lorsque le tour de table est terminé, chacun rassemble les mots recueillis pour en faire une phrase et la lit tout haut. Dans notre exemple, la phrase obtenue est donc : « La plume vieillotte est sur ma tante indiscrète. »

Il s'agit en somme d'une création collective dont les phrases ainsi obtenues peuvent être étonnantes par leur profondeur, leur absurdité ou leur drôlerie.

Le nom « Le cadavre exquis » donné à ce jeu amusant s'inspire de la première phrase réalisée selon ces règles par les grands écrivains du mouvement surréaliste de l'époque et qui se lisait comme suit : « Le cadavre » « Exquis » « Boira » « Le vin » « Nouveau ».

DÉRIVONS !

CATÉGORIE :

8 ans et plus. (Les enfants plus jeunes peuvent y jouer, pour autant qu'ils fassent équipe avec un adulte.)

NOMBRE DE JOUEURS :

Minimum : 2. Maximum : illimité. Un maître de jeu.

MATÉRIEL :

Un dictionnaire. Des feuilles de papier. Des ciseaux.

Un contenant.

JEU :

Le maître de jeu doit procéder à des préparatifs. En s'armant d'un dictionnaire, il lui faut dénicher les expressions dérivées d'un mot courant. Exemple : pied ou tête. Pour le mot « pied », il existe une trentaine de dérivés tels que pied-de-poule, pied de lit, mettre à pied, etc. Avec le mot « tête », le choix est aussi vaste : tête-à-queue, avoir une bonne tête, etc.

Le maître de jeu inscrit chacune de ces expressions sur un morceau de papier différent. Puis, il plie ces papiers et les place dans un contenant. Il est maintenant fin prêt pour démarrer la partie. Chaque participant pige un bout de papier et, après avoir lu l'expression inscrite, la mime.

Si le maître de jeu devine de quelle expression dérivée il est question, il peut venir en aide aux autres joueurs en dévoilant quelques indices de son cru. Dans pareil cas, il peut arriver que le maître de jeu commette une bévue en se trompant sur l'exactitude de l'expression qui est mimée. Il s'ensuit une confusion des plus amusantes pour tous !

HISTOIRE DE MOTS

CATÉGORIE :

Pour tous.

NOMBRE DE JOUEURS :

Minimum : 8. Maximum : illimité. Multiple de 4.

Un maître de jeu.

MATÉRIEL :

Des enveloppes contenant 5 mots chacune. Inclure les mêmes mots pour chaque équipe et calculer une enveloppe par groupe.

JEU :
Le maître de jeu réunit les participants et le regroupe en 4 équipes. Un chef de troupe est désigné pour chacune d'elles. Le maître de jeu remet une enveloppe à chacun de ces meneurs. Dans un laps de temps alloué par le maître de jeu, chaque équipe doit imaginer une histoire avec les mots découverts dans l'enveloppe. Les équipes n'ont surtout pas le droit d'en faire une simple énumération.

Chaque troupe présente ensuite son histoire. Dans ce jeu, personne n'est déclaré vainqueur, puisque l'imaginaire peut prendre des formes aussi multiples que diverses et toutes aussi valables les unes que les autres.

QUELQUES TRUCS ET VARIANTES :
Pour ajouter à la difficulté de la construction de l'histoire, le maître de jeu peut choisir d'utiliser des mots rarement employés ou encore en augmenter le nombre. Et plutôt que de raconter seulement une histoire, ce dernier peut aussi exiger que les participants la jouent comme s'il s'agissait d'une saynète.

NI OUI NI NON

CATÉGORIE :
Pour tous.

NOMBRE DE JOUEURS :
Minimum : 6. Maximum : illimité. En nombre pair.

Un maître de jeu.

MATÉRIEL :
Un chronomètre ou une montre.

Jeu :

Ce jeu-questionnaire télédiffusé sur Radio-Canada a remporté la faveur du public pendant longtemps, il y a plusieurs années. Il est facile d'en comprendre la raison. Il s'agit en effet d'un jeu tout simple, mais combien divertissant !

Deux équipes comprenant un nombre identique de joueurs sont formées. Les équipes se font face et le maître de jeu, debout ou assis, a comme rôle premier de superviser le bon déroulement de la partie. Il aura à trancher en cas de litiges... qui risquent fortement de survenir !

Une équipe est désignée et ses membres deviennent les « répondants ». Les participants de l'équipe adverse sont les « interrogateurs » pour l'instant. Le but de ce jeu est très facile. Les équipiers répondants ne doivent utiliser « ni oui ni non » pour répondre aux questions dont les bombardent leurs adversaires, et ce, durant un premier tour qui dure deux minutes.

Si le défi est relevé, l'équipe de répondants marque un point. Sinon, ce point va à l'équipe adverse. Au tour suivant, les répondants deviennent les interrogateurs. Le plus haut pointage détermine les gagnants.

LE TÉLÉPHONE ARABE

Catégorie :

Pour tous.

Nombre de joueurs :

Minimum : 3. Maximum : illimité.

Matériel :

Aucun.

JEU :

Il s'agit d'un très vieux jeu de société dont la date de création demeure inconnue, mais qui s'inspire d'une époque où les communications ne s'appuyaient pas sur la technologie.

En ces temps reculés, la transmission rapide des nouvelles se faisait par le relais d'informateurs ou de messagers. Ce mode de communications se nommait téléphone de brousse ou téléphone arabe. Certains peuples vivant dans des régions éloignées et peu développées utilisent encore cette façon de transmettre les informations d'un point distant à un autre.

Les joueurs sont placés en ligne ou en cercle, debout ou assis. Un participant est désigné par les autres pour commencer le jeu. Son rôle consiste à chuchoter une phrase à l'oreille de son voisin.

Ce dernier doit reprendre cette même phrase et la souffler à l'oreille de son propre voisin. Et ainsi de suite jusqu'au dernier joueur, qui doit claironner tout haut la phrase transmise par téléphone arabe. L'énoncé final et la phrase initiale seront fort probablement très différents l'un de l'autre pour la plus grande joie de tous !

LE TRAVAIL À LA CHAÎNE

CATÉGORIE :

12 ans et plus.

NOMBRE DE JOUEURS :

Minimum : 8. Maximum : 20. En nombre pair.

Un maître de jeu.

MATÉRIEL :

Aucun.

JEU :

Ce jeu s'inspire d'une émission télévisée éponyme qui a fait les beaux jours de la Société Radio-Canada pendant plusieurs années... Plus les participants sont verbomoteurs, plus leurs chances de gagner sont imposantes ! Vous allez voir...

Les joueurs sont répartis en 2 équipes associant un même nombre de participants. Assis au milieu des équipes qui se font face, de manière que l'assemblée forme un « U », le maître de jeu signifie le début de la partie en attribuant un mot (peu importe lequel) à une des deux équipes.

Le premier joueur doit faire une phrase qui commence par le mot en question. Le second participant devra, pour sa part, continuer le récit en composant une nouvelle phrase qui est amorcée avec le dernier mot employé par le joueur précédent. Exemple : le maître de jeu attribue le mot « Ciel ». Le premier joueur déclare : « Le ciel est du même bleu que la chemise de Roger. »

Le deuxième participant reprend en disant : « Roger vient tout juste de sortir de prison. » Et ainsi de suite jusqu'à ce que toute l'équipe ait joué. Toutefois, chaque joueur ne dispose que de 10 secondes (délai supervisé par le maître de jeu) pour concocter une phrase, et la chaîne doit être complétée en deçà de 1 minute.

Si la chaîne est brisée, l'équipe adverse entre en jeu. Pour chaque chaîne complétée dans les délais requis, un point est attribué. Le pointage est calculé lorsque les deux équipes ont pu jouer à l'intérieur d'un même tour. Au tour suivant, le maître de jeu attribue un nouveau mot de départ à la seconde équipe. En cas de défaillance de cette dernière, la première équipe a alors droit de réplique. Durant ce jeu, le temps file à la vitesse de l'éclair et ceux qui manquent d'imagination le constateront rapidement...

LES JEUX D'OBSERVATION

Chacun de nous aime bien se targuer de posséder une intelligence vive. Eh bien, certains jeux d'observation font appel à cette caractéristique dans son état le plus évolué! D'autres, par contre, sont de véritables attrape-nigauds : leur solution est si simpliste qu'elle passe totalement inaperçue à l'esprit des génies!

Voici donc des jeux d'observation soit complexes, soit étonnamment simples, mais surtout susceptibles de berner les plus fins observateurs. Lorsque vous conviez vos invités à participer à ce genre de jeux, évitez de leur dire toutefois qu'il s'agit d'un jeu d'observation. Ainsi, la plupart croiront se trouver dans un jeu de stratégie et se creuseront les méninges pour votre plus grand amusement et celui des autres...

LE CHEF D'ORCHESTRE

Catégorie :

Pour tous.

Nombre de joueurs :

Minimum : 5. Maximum : illimité. Un chef d'orchestre.

Matériel :

Aucun.

Jeu :

Par un tirage au sort, un joueur est désigné pour commencer la partie. Pour ce faire, il doit s'isoler du groupe, idéalement dans une autre pièce. Si la partie se déroule à l'extérieur, il doit faire dos aux autres participants et être assez éloigné pour ne pas entendre ce qu'ils complotent...

Un chef d'orchestre est désigné par les participants assis par terre en cercle. Muni d'une baguette imaginaire, le chef d'orchestre devra faire semblant de diriger une symphonie très complexe par des mouvements rapides et variés. Les autres joueurs doivent imiter la gestuelle du chef d'orchestre.

Le participant écarté est rappelé dans le jeu. Il doit alors s'installer en plein centre pour tenter de deviner quelle est l'identité du meneur. Il dispose de trois chances. S'il réussit cette identification, il conserve son poste et récolte une clé de sol. S'il échoue, on lui présente le chef d'orchestre et il entre dans le cercle des joueurs. Quant au chef d'orchestre, c'est désormais à son tour d'être mis à l'écart.

La « musique » continue jusqu'à ce qu'un joueur ait mérité cinq clés de sol ou le nombre déterminé selon le temps dont disposent les musiciens...

CROISÉS OU DÉCROISÉS ?

CATÉGORIE :

Pour tous. De préférence, 8 ans et plus.

NOMBRE DE JOUEURS :

Minimum : 5. Maximum : illimité. Un maître de jeu.

MATÉRIEL :

Un nombre de chaises égal au nombre de participants. Deux crayons ou deux ustensiles identiques, au choix.

JEU :

Tous les participants doivent s'asseoir sur des chaises placées en cercle. Le maître de jeu a en main deux crayons et il les passe à son voisin de gauche en croisant ou non les bras et en déclarant à haute voix au même instant : « Croisés ! » ou « Décroisés ! »

Celui qui reçoit les objets doit les transmettre à son voisin de gauche en croisant ou en décroisant les bras et en répétant l'une ou l'autre des appellations autorisées. Le maître de jeu doit ensuite spécifier toujours de façon très audible s'ils étaient bien « croisés » ou « décroisés ».

Le problème présenté à tous les participants est de deviner la raison pour laquelle ces mots sont énoncés. En fait, peu importe la position des bras ou des objets lors du transfert car la réponse s'appuie sur... la position des jambes du donneur ! Il y a de fortes chances que les objets fassent plusieurs fois le tour des joueurs avant que quelqu'un découvre la réponse correcte.

QUELQUES TRUCS :

Pour ajouter au problème, le maître de jeu prendra soin de croiser à la fois les jambes et les bras à son tour et de décroiser tous ces membres au tour suivant. Sa gestuelle devra évidemment être subtile afin de tromper l'oeil le plus vigilant. Outre la position des bras, le maître de jeu s'amusera à augmenter la difficulté en croisant également les objets qui sont transmis de l'un à l'autre.

JE SUIS MALADE !

CATÉGORIE :

Pour tous.

Nombre de joueurs :

Minimum : 5. Maximum : illimité. Un maître de jeu.

Matériel :

Aucun.

Jeu :

Le maître de jeu désigne un participant pour camper le rôle du médecin qui devra diagnostiquer de quelle(s) maladie(s) souffrent les autres joueurs... Le médecin doit alors s'isoler immédiatement dans une autre pièce.

Lorsque le maître de jeu est assuré que le bon docteur ne peut rien entendre, il explique la teneur du jeu aux autres participants : tous ne doivent pas faire semblant qu'ils sont victimes d'un virus mystérieux, mais ils doivent plutôt imiter leur voisin de gauche. En fait, toute l'assemblée est subitement victime d'un transfert de personnalité, ce que le médecin ignore évidemment.

Le maître de jeu demande de toute urgence au médecin de réintégrer la salle. Ce dernier, par d'habiles et, éventuellement, de fort nombreuses questions posées à tour de rôle aux joueurs, devra établir sans défaillir le type de maladie dont chacun est atteint. Le hic, c'est qu'il ignore qu'il est un médecin spécialisé en psychiatrie, car tous les concurrents sont un peu... timbrés ! Ainsi, si Jacques, Alain et Carole sont assis les uns à côté des autres, Jacques devra imiter Alain et Alain devra imiter Carole. Il faudra un médecin très habile pour deviner la cause des « maux » de chacun.

Quelques trucs et variantes :

Pour rendre la tâche plus ardue au docteur, quelques joueurs pourront simuler les symptômes d'une maladie physique que leur voisin de droite imitera...

Le maître de jeu peut également désigner toute une équipe

de médecins, ce qui risque de provoquer des diagnostics diamétralement opposés.

TROUVEZ LA CARPE !

CATÉGORIE :

Pour tous.

NOMBRE DE JOUEURS :

Minimum : 5. Maximum : illimité. Un maître de jeu.

MATÉRIEL :

Aucun.

JEU :

Les participants doivent se placer à genoux, les yeux fermés. Le maître de jeu veillera à ce que personne ne les ouvre. Si tel est le cas, le joueur fautif est aussitôt disqualifié. Chaque membre de la partie devient pour l'occasion un animal quelconque, peu importe son identité pour autant qu'il n'y ait pas deux participants qui imitent la même bête.

Toujours les yeux bien clos, les joueurs se déplacent sur les genoux en s'approchant des autres concurrents un à un et en imitant le cri de l'animal qui lui est personnel, à l'exception d'un seul que le maître de jeu désignera en lui touchant la tête: ce participant se transforme aussitôt en carpe. Il ne bouge pas et n'émet aucun son, car vous le savez bien, une carpe, c'est muet !

Le but du jeu consiste pour les autres participants à découvrir l'identité de cette carpe muette.

Ainsi, lorsqu'un joueur rencontre un autre animal, il le salue du cri de son animal. L'autre joueur lui répond en faisant entendre son propre cri... à moins qu'il ne s'agisse de la tant recherchée carpe.

Si un participant rencontre la fameuse carpe, il devient alors carpe lui aussi. Le jeu prend fin lorsque tous sont devenus muets... Plus facile à planifier qu'à réaliser !

À LA RECHERCHE DU SOULIER PERDU

CATÉGORIE :

Pour tous.

NOMBRE DE JOUEURS :

Minimum : 6. Maximum : illimité. Un maître de jeu.

MATÉRIEL :

Aucun, si ce n'est que chaque participant doit être chaussé.

JEU :

Le maître de jeu forme 2 équipes réunissant chacune un nombre égal de joueurs. Il invite ensuite tous les participants à enlever leurs souliers et à les placer dans un gros tas où chaque paire sera soigneusement séparée.

Au signal donné par le maître de jeu, un membre de chaque équipe se dirige vers la montagne de souliers et tente d'en récupérer un appartenant à un de ses partenaires. Si le soulier rapporté est bien celui d'un des ses coéquipiers, ce dernier s'en chausse. Le joueur chaussé part à la recherche d'un autre soulier. Sinon, le joueur précédent devra recommencer sa quête tout en replaçant le soulier de l'adversaire dans le tas.

Lorsque tous les membres d'un groupe sont chaussés, ils doivent courir jusqu'à un point précis, préalablement déterminé par le maître de jeu. Cette équipe est déclarée grande gagnante, car les autres sont demeurés des va-nu-pieds !

VRAI OU FAUX

CATÉGORIE :

Pour tous. Idéalement, 8 ans et plus.

NOMBRE DE JOUEURS :

Minimum : 2. Maximum : illimité. Un maître de jeu à l'esprit vif et inventif.

MATÉRIEL :

Aucun.

JEU :

L'intérêt du jeu « Vrai ou Faux » repose totalement sur le maître de jeu, qui devra ici faire preuve d'une imagination débordante et dont l'intelligence devra carburer aux quarts de seconde !

De l'index de sa main droite, le maître de jeu doit taper sur chacun des doigts de sa main gauche en émettant un énoncé. L'assistance doit conséquemment départager le vrai du faux. Le maître du jeu ne doit donner aucun indice pour aider les participants, si ce n'est que lorsque arrivera le temps d'une déclaration véridique, il la fera précéder du mot « Regardez ».

Exemple : le maître de jeu tape de son index de la main droite sur le pouce de la main gauche en disant : « Je suis allé aux Bahamas. » Cette affirmation est donc fausse, puisqu'elle n'est pas précédée du mot « Regardez ». En frappant le majeur cette fois-ci, il dira : « Regardez, mon ongle est un peu sale. » Cette phrase est vraie, puisque le mot « Regardez » s'y trouve. Évidemment, l'ongle du maître de jeu devra réellement être un peu sale ! Est déclaré gagnant le joueur qui met à jour ce stratagème.

LES AUTRES JEUX

Certains jeux n'aspirent à aucune prétention, si ce n'est de divertir ceux qui y participent. Ces jeux faciles à réaliser sont garants de bien des fous rires pour autant qu'aucun des joueurs ne craigne... le ridicule, qui, heureusement, n'a jamais tué personne!

LE BAL DES OISEAUX

CATÉGORIE :

6 ans et plus.

NOMBRE DE JOUEURS :

Minimum : 6. Maximum : illimité. Nombre pair de joueurs exigé. Un maître de jeu.

MATÉRIEL :

Du papier et un stylo. Des chaises.

JEU :

Le maître de jeu doit procéder à des préparatifs préalables en découpant une cinquantaine de bouts de papier de dimensions restreintes, soit d'environ 5 cm sur 7,5 cm (2 po sur 3 po). Il en fait 2 piles, qui comportent chacune un nombre égal de morceaux de papier.

Ensuite, le maître de jeu inscrit des onomatopées rappelant le chant d'un oiseau sur ces feuilles de manière à obtenir un jeu de deux. Par exemple, il devra écrire *Twit* sur deux bouts de papier différents, *Cocorico* sur deux autres, et ainsi de suite.

Après avoir terminé cet exercice, il devra installer des « nids » pour que le bal des oiseaux puisse avoir lieu... Pour ce faire, il calcule un nombre égal de chaises (nids) au nombre de couples participant au jeu, moins un nid. Exemple : 20 participants = 10 couples = 9 nids.

Lorsque toutes ces dispositions préliminaires ont été prises, les participants entrent en jeu. Le maître de jeu distribue à chacun d'entre eux, au hasard, un bout de papier sur lequel se trouve une onomatopée. Dès lors, chaque joueur se lève et chante à tue-tête, sans arrêter, son « onomatopée » ou son chant d'oiseau pour retrouver son partenaire. Une fois que le couple d'« oiseaux » est réuni, il doit s'empresser de se trouver un nid. Les deux oiseaux qui n'ont pas de nid, sont éliminés de la partie.

Le maître de jeu recommence l'opération initiale de distribution des bouts de papier en ayant pris soin auparavant de retirer un couple de chants d'oiseaux (onomatopées) ainsi qu'un nid. Le bal des oiseaux se termine lorsqu'il n'y a plus qu'un seul couple d'oiseaux qui turlutte dans son nid.

Quelques variantes :

Pour que tous les participants puissent faire partie du bal des oiseaux le plus longtemps possible, plutôt que d'éliminer le couple qui n'a pas de nid, chaque joueur de ce couple se voit attribuer un point de pénalité. Les gagnants de la partie seront ceux qui feront partie du couple qui a accumulé le moins de points ; la durée du jeu aura été prédéterminée par le maître de jeu.

Plutôt que de mettre en présence des couples, on pourra former des équipes de trois personnes. Cependant, le maître de jeu aura pris soin d'inscrire trois onomatopées identiques sur trois bouts de papier différents.

À la place des chants d'oiseaux, le maître de jeu peut aussi opter pour des onomatopées rappelant le cri d'animaux de la jungle ou de la ferme. Ainsi commencera le bal des animaux qui aura un effet tout aussi... boeuf, croyez-moi !

LES CÉLÉBRITÉS

CATÉGORIE :

10 ans et plus.

NOMBRE DE JOUEURS :

Minimum : 3. Maximum : illimité. Un maître de jeu.

MATÉRIEL :

Du carton rigide. Des ciseaux. Des trombones.

Un dictionnaire.

JEU :

Bien avant que la partie commence, le maître de jeu doit procéder à quelques préparatifs. Avec du carton rigide, il fait une couronne de papier qui pourra s'ajuster aux différents diamètres de tête des participants. Pour la maintenir en place, il utilisera, le temps venu, des trombones.

Ensuite, dans les retailles de ce même carton, il découpe des coupons d'une dimension s'approchant de 7,5 cm (3 po) de haut sur 15 cm (6 po). Sur chacune de ces pièces cartonnées, il inscrit le nom d'une célébrité. Peu importe que cette personnalité connue appartienne au monde de la scène, du cinéma, de l'histoire, de la politique, des sports, etc. (il peut chercher certaines références dans un dictionnaire de noms propres). Une fois ces étapes achevées, le jeu des célébrités peut débuter !

Le maître de jeu choisit au hasard un participant, qui deviendra la célébrité du moment. Avant de la couronner, il aura pris soin de fixer un coupon sur la couronne avec un trombone de manière que le nom inscrit soit lisible par tous les autres joueurs. Toutefois, il évitera que la tête couronnée puisse voir le nom qui lui est dédié.

Le joueur en lice doit deviner quel est le nom célèbre inscrit sur le carton de sa couronne. Pour y parvenir, il pose des questions aux autres participants. Ces derniers doivent lui donner des réponses succinctes dans lesquelles se trouvent des indices subtils.

Chacun des participants devient une célébrité. La partie se termine lorsque tous ont eu droit à leur moment de gloire!

QUELQUES VARIANTES :

Le maître de jeu peut imposer que les joueurs ne répondent que par oui ou non. De plus, il peut allouer un temps de réponse prédéterminé au participant couronné.

Si la fête dure plusieurs heures, pour alimenter la partie, le maître de jeu peut donner un point pour chaque bonne réponse obtenue et en retirer un pour chaque célébrité non identifiée.

FAIS-MOI UN DESSIN

CATÉGORIE :

8 ans et plus.

NOMBRE DE JOUEURS :

Minimum : 4. Maximum : illimité. En nombre pair.

Un maître de jeu.

MATÉRIEL :

Une grande tablette de papier. Un lutrin. Des crayons-feutres.

Quelques feuilles de format standard. 5 boîtes ou sacs.

Un dictionnaire. Un chronomètre ou une montre.

JEU :

Au Québec, pendant des années, le concept de ce jeu a fait l'objet d'une émission télévisée très populaire qu'animait

Yves Corbeil à Télé-Métropole. Vous vous souvenez? Eh bien, vous pouvez vous-même animer une telle soirée avec la même bonne humeur qui prévalait lors de ce jeu télé!

Tout d'abord, le maître de jeu doit s'astreindre à un exercice bien simple. Il doit choisir cinq catégories. Exemple: sports, vocabulaire, géographie, cinéma et histoire. Il inscrit le nom de chacune d'elles sur les sacs ou les boîtes.

Ensuite, il écrit sur des bouts de papier des expressions, des titres, en fait des thèmes qui ont un lien direct avec chacune des catégories. Exemple: sports: football américain; vocabulaire: tête de turc; géographie: les îles Canaries; cinéma: Le dernier des Mohicans et histoire: Napoléon Bonaparte. Il pourra s'aider d'un dictionnaire, d'une encyclopédie, etc.

Il place les bouts de papier dans les sacs identifiés aux catégories concernées. Après quoi, il dispose une grande tablette de papier et des crayons-feutres sur un lutrin.

Les participants se divisent en 2 équipes d'un nombre égal. Le maître de jeu désigne laquelle doit amorcer la partie. Sur ce, un des membres de l'équipe désignée pige un bout de papier dans le sac mentionnant la catégorie de son choix. Il lit ce qui est inscrit.

Dès cet instant, l'enjeu est de faire deviner à ses coéquipiers, en 2 minutes (temps vérifié par le maître de jeu), l'expression pigée, et ce, uniquement en dessinant. Il s'ensuit des hypothèses très farfelues, croyez-moi! Il n'est pas en effet donné à tous de posséder des talents en dessin...

Si ses partenaires trouvent la réponse juste, l'équipe marque un point. Sinon, le maître de jeu donne un droit de réplique à l'équipe adverse, qui a ainsi la chance de marquer un point en trouvant la solution.

Le jeu se poursuit jusqu'à ce que toutes les expressions de toutes les catégories aient été dessinées. L'équipe ayant accumulé le nombre le plus important de points gagne.

LE GRAND BOMBARDEMENT

CATÉGORIE :

Pour tous.

NOMBRE DE JOUEURS :

Minimum : 4. Maximum : illimité. En nombre pair.

Un maître de jeu.

MATÉRIEL :

Des feuilles de papier roulées en boules en importante quantité. Quelques rouleaux de papier hygiénique. Un ruban adhésif (si le jeu se déroule à l'intérieur) ou une corde fixée aux extrémités (si le jeu se passe à l'extérieur).

JEU :

Le maître de jeu, ce grand général, délimite le territoire de chacune des équipes, qui regroupent un même nombre de soldats. Il répartit chaque groupe de chaque côté d'une ligne centrale (faite avec du ruban adhésif ou une ficelle, selon le contexte).

Le maître de jeu attribue ensuite un nombre égal de munitions aux 2 armées (boules de papier et rouleaux de papier hygiénique). Le général signale le début du Grand Bombardement. Chaque soldat doit lancer le plus de missiles possible sur le territoire de l'ennemi. Si une bombe atterrit dans la zone d'une armée, le soldat a le droit de ramasser cette arme et de la relancer chez l'adversaire.

Après un certain temps, le général en titre déclare la fin des combats. Chaque armée doit calculer le nombre de projectiles parsemant l'espace qui lui est attitré. Le groupe qui en dénombre le moins marque un point. Les hostilités reprennent jusqu'à ce que la paix soit proclamée...

Quelques variantes :

Si le Grand Bombardement se joue à l'extérieur par une chaude journée d'été, le général peut ajouter à l'arsenal des différentes armées des ballons de baudruche (« ballounes ») emplis d'eau. Il invitera alors les soldats à revêtir leur maillot de bain !

HISTOIRES DE FAMILLE

Catégorie :

Pour tous.

Nombre de joueurs :

Minimum : 4. Maximum : illimité. En nombre pair.

Un maître de jeu.

Matériel :

Des feuilles. Des stylos.

Jeu :

Le maître de jeu doit préalablement dresser une liste de questions, qu'il posera plus tard aux concurrents. Ces questions doivent avoir un caractère intime... mais pas trop ! Vous allez bientôt comprendre pourquoi...

Avant de poursuivre mes explications, il me faut immédiatement vous détailler le concept de ce jeu. Chaque participant sera jumelé à un autre. Les coéquipiers seront favorablement des membres d'une même famille, d'un couple ou des amis de longue date. Le but de la partie sera en effet de « fouiller » la vie de l'un et de l'autre.

Au moment de commencer la partie, un équipier de chaque tandem est isolé dans une autre pièce. Le maître de jeu interroge les joueurs restants en utilisant des questions du genre :

« Quelle était la couleur de la première voiture de votre coéquipier ? », « Selon lui, quel est son pire défaut ? », « Quel âge avait-il lorsqu'il a appris à nager ? », « A-t-il eu les oreillons ? », etc. Les participants doivent inscrire leurs réponses sur une feuille de papier.

Le maître de jeu rappellera sur le lieu de la partie les joueurs isolés et interrogera cette fois-ci ces derniers concurrents en employant les mêmes questions que précédemment.

L'équipe dont les 2 équipiers donneront une réponse identique à une même question marquera un point. Celle qui aura amassé le plus de points vaincra.

Ce jeu est très amusant puisque, bien souvent, les réponses des 2 partenaires diffèrent totalement. Cette situation engendre des situations très cocasses ou d'amicaux différends pour le plus grand plaisir de l'assistance ! Le succès de ce jeu réside dans la perspicacité des questions élaborées par le maître de jeu...

LE MARCHAND DE BOUCHONS

CATÉGORIE :

6 ans et plus.

NOMBRE DE JOUEURS :

Minimum : 10. Maximum : 30. Un maître de jeu.

MATÉRIEL :

Un bouchon par personne moins 2 bouchons. (De préférence, des bouchons plastifiés ou des bouchons de liège. À éviter les bouchons métalliques.) Une grande couverture carrée bien matelassée.

JEU :

Pénurie de bouchons ! Tous les joueurs avides d'en acheter

se rendent auprès du marchand de bouchons (le maître du jeu). Ils devront faire preuve d'une extrême politesse s'ils espèrent acquérir ces bouchons qui sont, il va sans dire, en rupture de stock.

Les participants doivent se placer tout autour de la couverture carrée et matelassée où les bouchons auront été préalablement déposés. Le marchand de bouchons commence la partie en donnant certains ordres aux joueurs, par exemple « Saluez ! » : les participants doivent alors faire la révérence ; « Priez ! » : chacun doit s'agenouiller ; « Suppliez ! » : les joueurs doivent être les plus convaincants possible à grand renfort de remarques obligeantes pour le marchand de bouchons. Il n'en tient qu'à l'imaginaire du marchand de bouchons pour trouver des actions que l'assistance devra accomplir. Puis, au moment jugé le plus crucial par le maître de jeu, il lancera un tonitruant : « L'achat ! » Il a d'ailleurs intérêt à jouer sur l'effet de surprise.

À ce moment précis, tous les joueurs doivent se ruer sur les bouchons, mais ils ne peuvent en prendre qu'un seul. Après chaque phase d'achat, les joueurs qui n'ont pas de bouchons se retirent de la partie. Le marchand de bouchons enlève quelques bouchons du jeu. Les participants se réinstallent autour de la couverture, et un autre tour est amorcé. Le jeu se poursuit jusqu'à ce qu'il ne reste plus en lice qu'un seul acheteur de bouchons.

Quelques trucs et variantes :

Pour éviter qu'un joueur se blesse, il est déconseillé de déposer la couverture sur du carrelage car, emportés par l'enthousiasme, les participants se ruent têtes baissées sur les bouchons. Il est possible de remplacer les bouchons par n'importe quel autre objet, pour autant que ce dernier ne soit ni fragile ni trop rigide.

OH ! LOUP !

CATÉGORIE :

Pour tous.

NOMBRE DE JOUEURS :

Minimum : 5. Maximum : illimité. 2 maîtres de jeu.

MATÉRIEL :

Aucun.

ENDROIT :

Favorablement, à l'extérieur. Sinon, à l'intérieur dans une grande pièce dégagée.

JEU :

Un maître de jeu campe le rôle du loup et un autre joue le personnage du berger. Quant aux autres participants, ce sont tous des moutons. Pour jouer, les moutons doivent se mettre en file et se tenir tous par la taille. Le berger se place au premier rang de cette queue.

Le loup doit alors tenter d'attraper le dernier mouton de la lignée. Le mouton doit tenter de lui échapper sans jamais briser la chaîne qui l'unit au restant du troupeau. Sinon, il devient la propriété du loup. Le jeu se poursuit jusqu'à ce que le loup ait capturé tous les moutons et que le berger soit seul de son cheptel.

QUELQUES TRUCS ET VARIANTES :

Un joueur peut être désigné « chien de berger ». Sa mission consistera à s'interposer entre le loup et les moutons. Il peut y avoir 2 loups dans une partie, pour autant qu'il y ait 2 chiens de berger.

Pour ajouter à l'ambiance, si le contexte le permet, les participants devront imiter le bêlement des moutons, l'aboiement des chiens et le hurlement du loup. Fous rires garantis !

Autre variante, plutôt que de mettre en présence un loup, un berger, des moutons et un chien de berger, faites place à un lion, à des gazelles, à un chef de troupeau et à une hyène pour défendre les graciles gazelles.

QUI VA À LA CHASSE, PERD SA PLACE

CATÉGORIE :

Pour tous.

NOMBRE DE JOUEURS :

Minimum : 10. Maximum : illimité. Un maître de jeu.

MATÉRIEL :

Un nombre de chaises égal au nombre de participants.

JEU :

Les chaises sont disposées en cercle, tournées vers l'intérieur à l'inverse de la chaise musicale. Le maître de jeu se place à l'extérieur de ce cercle et désigne un « chasseur ». Ce dernier se lève et se place debout au milieu du cercle. Au signal du maître de jeu, le « chasseur » doit tenter de se rasseoir sur une chaise malgré les déplacements des autres participants. Pour l'empêcher de regagner un siège, les participants doivent changer de place. Le joueur, voisin de gauche du chasseur, doit décaler d'un siège et les autres participants doivent l'imiter en faisant le plus rapidement possible. Si le « chasseur » réussit à s'asseoir de nouveau, son voisin de gauche devient à son tour le « chasseur ».

QUELQUES TRUCS ET VARIANTES :

Une fois le système bien rodé, le maître de jeu peut apporter plusieurs changements, histoire d'attiser l'intérêt des participants. Par exemple, il peut désigner plusieurs « chasseurs » pour une seule chaise vide.

Il peut aussi changer le sens de rotation des déplacements en les faisant débuter par la droite et non par la gauche. En pareille situation, si le « chasseur » parvient à se trouver un siège, le voisin de droite de ce dernier sera nommé « chasseur ».

Pour rendre la tâche plus ardue au « chasseur » et aux autres joueurs, un participant pourra décider de changer de chaise à la toute dernière minute ! De plus, ce jeu très simple à apprivoiser peut être pratiqué aussi bien à l'intérieur qu'à l'extérieur.

RODIN AU BOUT DES DOIGTS !

CATÉGORIE :

8 ans et plus.

NOMBRE DE JOUEURS :

Minimum : 6. Maximum : illimité. Multiple de 3.

Un maître de jeu.

MATÉRIEL :

Un foulard par équipe de 3.

JEU :

Auguste Rodin (1840-1917) est considéré comme l'un des plus grands maîtres de la sculpture de tous les temps. Qui d'ailleurs n'a jamais vu une photographie ou une reproduction de sa célèbre oeuvre *Le Penseur* ? Ce jeu consiste donc à tenter d'imiter les grands talents du maître, mais sans argile, plâtre, cuivre, roc. Vous allez voir, la matière première est très malléable malgré tout.

Le maître de jeu divise les participants en équipe de 3 personnes. L'un d'entre eux est le sculpteur. Le deuxième devient le modèle et le troisième... la pâte à modeler !

Sous la supervision du maître de jeu, les équipes s'installent chacune dans un coin. Chaque sculpteur se bande les yeux. Le modèle prend une pose. Le sculpteur le tâte pour essayer d'en déterminer les formes pendant le délai accordé par le maître de jeu.

Alors que le modèle conserve toujours la pause, le sculpteur, qui a encore les yeux bandés, doit tenter de le reproduire le plus justement possible avec la « pâte à modeler » humaine. Cet exercice se déroule dans un laps de temps précis.

Une fois l'échéance arrivée, les sculpteurs de chaque groupe recouvrent la vue et le maître de jeu évalue les oeuvres réalisées en les comparant aux modèles originaux. Il détermine quelle équipe a réalisé la « sculpture » la plus fidèle.

LES JEUX DESTINÉS AUX ENFANTS

Bien sûr, de manière générale, les enfants peuvent jouer aux mêmes jeux que les grands. Mais, selon leur âge, ils risquent fort de s'ennuyer au bout d'un moment si la partie en cours est trop exigeante pour leur capacité de concentration ou leurs possibilités intellectuelles. Si la fête que vous organisez réunit principalement de jeunes invités, mieux vaut alors prévoir des jeux de société en fonction de leur âge.

Dans les pages qui suivent, je vous en suggère quelques-uns qui se pratiquent à l'intérieur ou à l'extérieur et qui sont spécialement destinés aux 12 ans et moins.

LE CAMÉLÉON

CATÉGORIE :

De 8 à 12 ans.

NOMBRE DE JOUEURS :

Minimum : 4. Maximum : illimité. En nombre pair.

Un maître de jeu.

ENDROIT :

L'extérieur, idéalement en forêt. Également, à l'intérieur.

MATÉRIEL :

Un chronomètre ou une montre.

JEU :

Chaque joueur s'associe à un autre pour former un couple. Lorsque le maître de jeu donne le signal de départ, un des partenaires doit rester aux côtés de ce dernier, tandis que l'autre doit s'en éloigner le plus rapidement possible en essayant de se camoufler.

Après un laps de temps, établi par le maître de jeu, et au nouveau signal de ce dernier (cri, sifflet, etc.), le participant en déplacement doit immédiatement s'immobiliser. Son partenaire va alors le rejoindre en comptant chacune de ses enjambées. Il retient ce nombre et le communique à son acolyte. Par le fait même, les couples sont de nouveau réunis. Mais pour un court moment...

Le maître de jeu lance un troisième signal indiquant que les partenaires d'un même couple doivent s'éloigner l'un de l'autre en faisant le même nombre d'enjambées que pour leur réunification. Exemple : Samuel a dû faire 9 enjambées pour rejoindre Mélanie. Lorsque le maître de jeu émet son troisième signal, Samuel ET Mélanie doivent faire chacun 9 enjambées tout en s'éloignant l'un de l'autre.

Ce processus est répété jusqu'à la fin de la partie dont le maître de jeu aura décidé la durée. Le joueur déclaré grand gagnant est celui qui aura su le mieux se camoufler dans le paysage tel un caméléon !

QUELQUES TRUCS ET VARIANTES :

S'il vous est impossible de déplacer tous vos jeunes invités en forêt, vous pouvez tout de même organiser le jeu du caméléon dans votre cour. Pour que la partie soit aussi amusante, le maître de jeu devra diminuer le laps de temps entre chacun de ses signaux.

Si la température n'est pas clémente, les jeunes peuvent jouer au caméléon à l'intérieur, pour autant qu'ils aient accès à presque toutes les pièces. Le maître de jeu, quant à lui, devra se tenir dans une seule et même pièce du début à la fin de la partie. Lorsque la durée prévue sera écoulée, il devra alors trouver le « caméléon » le mieux camouflé en se faisant aider par les participants éliminés. Une excitante partie de cache-cache débutera !

CHERCHER LE DOUBLE

Catégorie :

De 4 à 12 ans.

Nombre de joueurs :

Minimum : 2. Maximum : illimité. Un maître de jeu.

Endroit :

En tous lieux.

Matériel :

Différents objets dont 2 identiques pour chaque type choisi. Une nappe. Un chronomètre ou une montre.

Jeu :

Avec « Chercher le double », le maître de jeu a des devoirs à faire avant l'arrivée des participants. Il doit en effet choisir différents objets qu'il possède en double. Exemple : chaussures, coquillages, pailles, etc. Plus les joueurs seront jeunes, plus le nombre d'objets sélectionnés devra être moindre. Ensuite, il prend un spécimen de chacune de ces paires et le cache. Encore là, la cachette devra être plus ou moins facile à découvrir selon l'âge des participants. Finalement, il place sur un support quelconque (table, plancher, etc.) les jumeaux des objets cachés.

La partie commence après que le maître de jeu a invité les participants à bien observer les objets placés sur le support. Pour ce faire, il allouera une durée d'observation précise et dès qu'elle sera terminée, il devra recouvrir les objets d'une nappe.

Pour leur part, dès le signal donné, les participants doivent chercher le double des objets présentés par le maître de jeu. Celui qui en récupère le plus grand nombre le plus rapidement est déclaré grand gagnant de la partie.

Quelques trucs et variantes :
Si le jeu se déroule à l'intérieur, le maître de jeu peut utiliser des cartes à jouer, des ustensiles, des chaussons, des gants, etc. À l'extérieur, il préférera des fleurs, des feuilles, des bouts d'écorce, etc. Ce jeu permet de favoriser à la fois la mémoire et le sens d'observation du milieu.

JE POSE, TU CHERCHES

Catégorie :

De 8 à 12 ans.

Nombre de joueurs :

Minimum : 4 (en équipes de 2). Maximum : illimité.

En nombre pair. Un maître de jeu.

Endroit :

En tous lieux.

Matériel :

Une balise distincte (un objet quelconque) pour chaque paire de joueurs. Un chronomètre ou une montre.

Jeu :

Chaque équipe de 2 se voit attribuer une balise par le maître de jeu. À son signal, un des membres de l'équipe doit aller dissimuler cet objet dans un endroit que l'autre partenaire ne peut pas apercevoir.

Le « dissimulateur » doit revenir auprès du maître de jeu le plus rapidement possible, car un point sera attribué au premier revenu au point de départ.

Une fois que tous les participants se retrouvent dans l'entourage du maître de jeu, un nouveau signal est émis et le « dissimulateur » donne 3 indices à son coéquipier, le « chercheur », pour l'aider à découvrir la balise camouflée appartenant à leur équipe. Il pourra ainsi lui fournir des informations concernant la nature du poste, la distance et la direction.

Le « chercheur » doit rapporter cette balise au maître de jeu dans le temps le plus bref, car un point sera aussi accordé au participant se présentant le premier. La partie se poursuit autant de temps que le maître de jeu le veut bien, et à chaque tour, les rôles des participants sont inversés : le « dissimulateur » devient le« chercheur », et vice-versa !

LE PETIT SINGE

CATÉGORIE :

6 ans et plus.

NOMBRE DE JOUEURS :

Minimum : 6. Maximum : illimité.

ENDROIT :

En tous lieux.

MATÉRIEL :

Aucun.

JEU :

Assis par terre, les participants forment un cercle à l'exception d'un seul qui, lui, doit tourner autour de l'espace de jeu.

En marchant, il demande aux autres joueurs s'ils n'avaient pas vu son petit singe, qu'il a malencontreusement égaré. Ces derniers lui répondent évidemment en coeur par la négative.

Toujours en marchant autour des autres joueurs, il décrit un des participants : couleur des cheveux, des vêtements, des souliers, etc. Lorsque le joueur visé se reconnaît, il doit immédiatement se lever et partir à courir après celui qui a vraisemblablement perdu son singe.

Mais, vous l'aurez deviné, il ne s'agissait que d'une singerie pour pouvoir s'emparer de la place du « petit singe ». Si le prétendu propriétaire du singe réussit son manège, le « petit singe » devient alors le meneur de jeu. Cependant, si le petit singe réussit à toucher au propriétaire malheureux, ce dernier doit alors aller s'asseoir à l'intérieur du cercle formé par les autres joueurs. On répète le même mécanisme jusqu'à ce qu'il ne reste plus qu'un seul joueur actif.

TU BRÛLES, TU GÈLES !

CATÉGORIE :

De 8 à 12 ans.

NOMBRE DE JOUEURS :

Minimum : 2. Maximum : illimité. En nombre pair.

Un maître de jeu.

ENDROIT :

En tous lieux.

MATÉRIEL :

Des foulards. Un chronomètre ou une montre.

JEU :

Voici une variante du populaire jeu de notre enfance « Tu brûles, tu gèles ! » qui permettra à un plus grand nombre de joueurs de s'amuser. Le maître de jeu désigne des équipes de 2 et distribue à chacune d'entre elles un foulard qui servira à bander les yeux de l'un des partenaires.

Au signal de départ, le coéquipier qui n'a pas les yeux bandés fait faire 3 tours sur lui-même à celui qui a perdu temporairement la vue. Ensuite, en le guidant, il le conduit à un objet de son choix. Le participant aux yeux bandés doit tâter cette cible pendant 10 secondes : délai que le maître de jeu vérifie, chrono ou montre en main. Passé ce temps, l'équipe revient à son point initial et le jeune aux yeux bandés fait de nouveau 3 tours sur lui-même.

Après en avoir reçu l'autorisation du maître de jeu, le partenaire « voyant » détache le foulard de son coéquipier. Le maître de jeu proclame la poursuite du jeu en signifiant à chaque équipe que le partenaire qui avait les yeux bandés peut dès lors chercher la cible.

Le coéquipier qui a caché l'objet n'a le droit de dire à son complice que « Tu brûles ! » ou « Tu gèles ! », selon que ce dernier se trouve près ou loin de la cible.

La premier couple à rapporter l'objet au maître de jeu marque un point. La partie se poursuit de cette façon selon le bon vouloir du maître du jeu, et chaque partenaire inverse son rôle d'un tour à l'autre. L'équipe gagnante est évidemment celle qui a réussi à accumuler le plus de points.

QUELQUES TRUCS ET VARIANTES :

S'il est possible d'organiser ce jeu à l'extérieur, le maître de jeu doit alors demander que l'objet à retrouver soit absolument un des arbres. Il est difficile de reconnaître un arbre d'un autre lorsqu'on a les yeux bandés ! Si, au contraire, le jeu se déroule à l'intérieur de votre maison, le maître de jeu peut alors décider d'une thématique pour chaque tour. Exemple : le premier tour, l'objet choisi doit obligatoirement avoir un lien avec la cuisine ou la chambre à coucher. De cette façon, le niveau de difficulté peut être légèrement atténué et toutes les pièces de votre domicile ne risquent pas d'être envahies simultanément !